PAR

ANNIE GROOVIE

Merci à
Isabelle pour
ses jolies mains
dans les chroniques
« Que faire de
vos 10 doigts... » !

Bon voyage...

LÉON › NOTRE SUPER HÉROS

Le surdoué de la gaffe,
toujours aussi nono et aventurier.

LOLA ›

La séduisante au grand cœur.
Son charme fou la rend irrésistible.

Fidèle ami félin plein d'esprit.
On ne peut rien lui cacher.

EN PRIME,
UN FLIP BOOK
DE LÉON !

BONJOUR CHERS FANS !

Vous êtes-vous déjà demandé combien de TEMPS ça prend pour créer un livre comme celui-ci ? Son format est peut-être PETIT, mais il contient quand même 88 pages ! Vous n'avez pas idée du TRAVAIL qu'il y a derrière un seul de ces bouquins...

Prenons le cas d'une BANDE DESSINÉE, par exemple. Il faut d'abord trouver une bonne histoire, l'*ILLUSTRER* et la COLORIER, case par case, puis mettre le texte dans les bulles. Ça semble facile, comme ça, mais il y en a 20 par livre, alors, imaginez ! Et ça, c'est sans compter tout le reste : écrire les textes et les blaGues, faire les photos pour les fausses PUBS, inventer des jeux, etc.

Heureusement, des amis me donnent un précieux coup de main : *MARTIN* écrit des blagues et des chroniques ; *Joëlle* écrit aussi et fait de la recherche, en plus de rencontrer les gens des métiers super cool et les célébrités québécoises ; et Émilie ajoute par-ci par-là sa touche graphique. Mais ce n'est pas tout, il faut le relire, ce livre, afin qu'il ne contienne plus la moindre faute, et le préparer pour l'impression... Un seul *Délirons avec Léon* prend donc plus de 75 jours à produire ! Ça vous surprend ?

Maintenant, lorsque vous PARCOURREZ ces livres, vous saurez qu'ils ont été créés avec beaucoup d'amour !

AnnieGroovie

Table des matières

Je suis dans
ma bulle !

JAR «DÎNER» !
Tiens, tu jardines maintenant ?
Oui, madame ! Cet été, j'ai décidé que je ne mangerais que de bons légumes frais !
Mais en attendant qu'ils poussent, je vais en profiter...
Tu viens ? On va manger une bonne poutine !

DÉJEUNER NATURE

VIVA L'ITALIA !
J'aimerais ça aller en Italie.
Ah, moi aussi ! C'est un pays tellement romantique !
Romantique ? Euh, c'est pas pour ça que je veux y aller, moi...
!
C'est parce que la pizza doit être vraiment bonne là-bas !
Mmmmmmm...

MARCHONS ENSEMBLE
Salut! Vous venez marcher? C'est pour une bonne cause!
Allez!
OK, OK...
C'est bizarre, il n'y a personne...
On marche pour quelle cause, au juste?
La cause des gens paresseux!
!
!
!
!
Allez, on avance!
14

PROBLÈME... DE DOS
Léon, attends !
Mais qu'est-ce qui t'arrive ?
J'ai mal au dos...
Comment tu t'es fait ça ?
C'est arrivé pendant mon examen de maths, cet après-midi...
Je me suis penché un peu trop longtemps sur un problème.
Ouch !

CHANCEUX ?
Salut !
Salut !
C'est quoi, ça ?
Des billets d'avion que j'ai gagnés...
Cool ! Mais tu n'as pas l'air très excité...
C'est que je n'aime pas prendre l'avion.
Tu sais que t'as plus de chances de gagner le million à la loterie que de mourir dans un écrasement d'avion ?
Ah, oui ?
Euh, Léon, où vas-tu ?
Échanger mes billets d'avion contre des billets de loterie !

JUS « D'ORANGE-TU » ?

JE SOUHAITE QUE...

PAUVRE FILLE...
J'ai parlé avec la nouvelle fille à l'école, aujourd'hui.
Ah, oui, et puis?
La pauvre, elle est toujours en pénitence.
En pénitence?
Oui, elle m'a dit qu'elle vivait dans le coin...

DIGNE D'UN CYCLOPE

PAUSE
PUB

Les vêtements DE ★ MON ★ EX

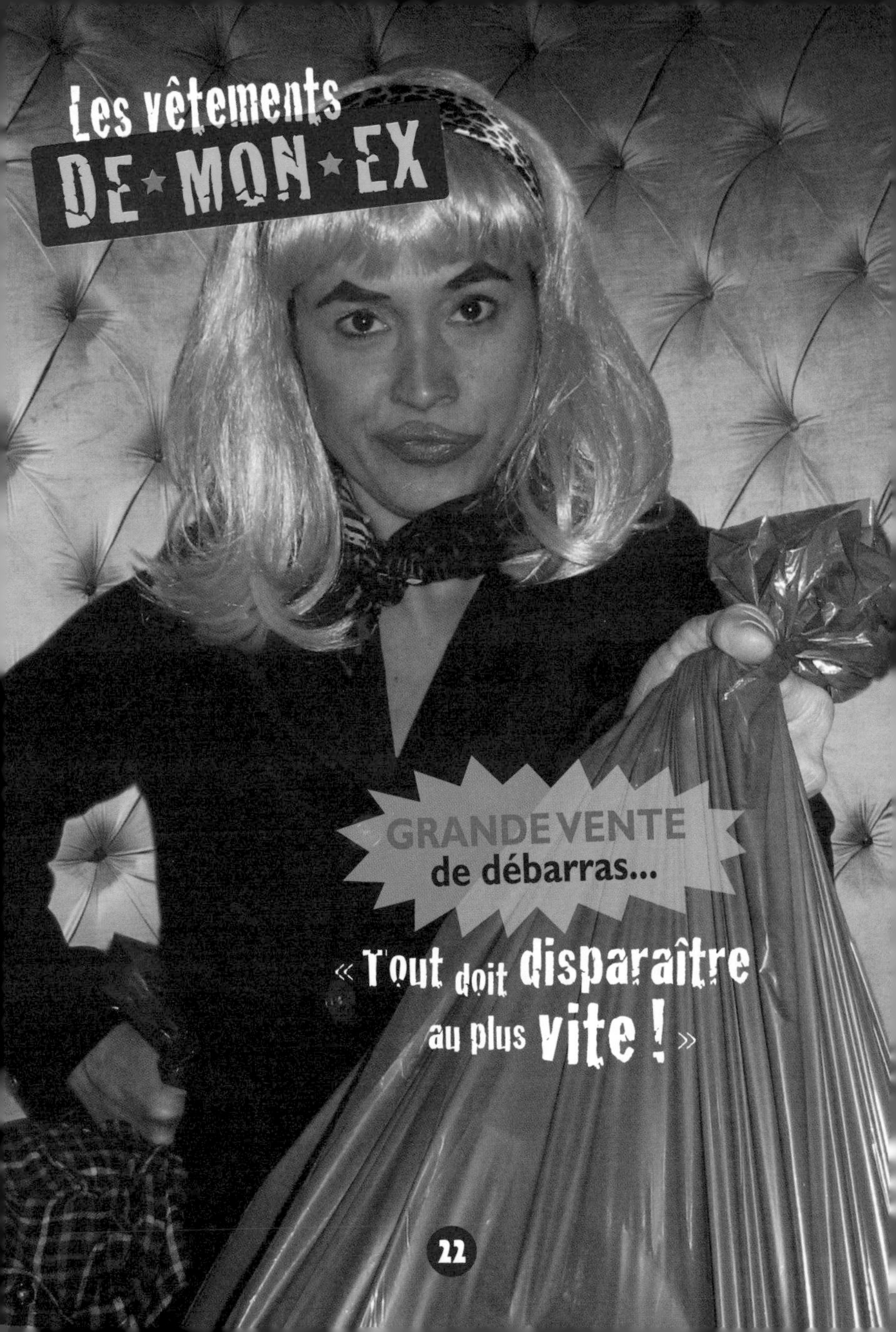

GRANDE VENTE
de débarras...

« Tout doit disparaître au plus vite ! »

DES CHIFFRES

100 000 : c'est le nombre de cheveux qu'un adulte a en moyenne sur la tête. Wow ! Et les chevelures claires sont apparemment celles qui en comptent le plus...

26 os forment chacun de nos pieds, incluant l'articulation de la cheville et les orteils.

1,5 litre : c'est la quantité de salive qu'un être humain produit par jour. Ça en fait, de la bave ! L'équivalent d'une grosse bouteille d'eau... et demie !

4200 : c'est le nombre moyen de battements que notre cœur effectue à chaque heure. Ouf ! Juste d'y penser, on s'essouffle !

5 litres de sang circulent à l'intérieur du corps humain. C'est l'équivalent de 5 pintes de lait : un vrai festin pour les vampires !

350 os s'articulent pour constituer le squelette d'un bébé naissant. À l'âge adulte, ce chiffre n'est plus que de 206, puisque certains os se soudent les uns aux autres avec le temps.

100 000 000 000 (100 milliards) de neurones (ou cellules nerveuses) forment notre cerveau. Sauf que, dès l'âge de 30 ans, on se met à en perdre des milliers par jour. Oups...

ET SI ET SI ET SI...

Bienvenue dans un monde où
L'IMAGINATION est de mise...

ET SI LES DINOSAURES N'AVAIENT PAS DISPARU ?

Imaginez un instant ce que ça aurait changé...

> Les baleines se trouveraient moins grosses.

> On serait pas mal plus nerveux en camping.

> Il y aurait plus de pannes de courant parce que les ptérodactyles abîmeraient les lignes électriques en se posant sur les fils.

> On verrait des tricératops dans les rodéos.

> La douzaine d'œufs de dinosaures coûterait vraiment cher et prendrait toute la place dans le frigo.

> Les diplodocus, ces dinosaures géants au long cou, serviraient d'autobus scolaires.

> Chez McDo, on servirait des Dinoburgers.

> Il faudrait toujours être prudent lorsqu'on irait dehors, car on serait certainement une de leurs collations préférées !

ET SI ON POUVAIT RESPIRER SOUS L'EAU ?

On se préoccuperait peut-être plus de la pollution dans les lacs et les rivières...

> On pourrait faire la traversée du lac Saint-Jean à pied.

> Dans les sous-marins, on pourrait dormir la fenêtre ouverte...

> Au lieu de jouer dans des carrés de sable, les enfants s'amuseraient dans des aquariums !

> L'été, quand il ferait trop chaud, on pourrait dormir dans la piscine.

> Tout le monde ferait de la plongée sous-marine.

> On jouerait à la cachette au fond des lacs !

> Plus jamais personne ne se noierait.

ET SI TOUT LE MONDE PARLAIT LA MÊME LANGUE SUR LA TERRE ?

Peut-être qu'il y aurait moins de guerres...

> On comprendrait enfin les paroles de toutes les chansons.

> Tout le monde pourrait avoir des milliers d'amis sur Facebook.

> On pourrait déménager vraiment, vraiment loin et on se ferait de nouveaux amis rapidement.

> Les Chinois chanteraient les chansons de Marie-Mai.

> Ce serait super difficile de trouver un prénom original.

> On n'aurait plus besoin d'attendre qu'un film soit traduit pour le regarder.

> On pourrait voyager n'importe où sur la planète et se faire comprendre.

Maintenant, à vous d'imaginer ce que tout ça changerait dans votre vie...

Bottin cabotin

Pat AUGER.........................Nageur professionnel

D. BROUILLARD.................Homme à tout faire

K. CAOUETTE.......................Vendeur de pinottes

Roc GRAVEL.......................................Paysagiste

Lance LAMOTHE.............................Déneigeur

Bo LING..............................Champion de quilles

M. MONTÉ-LAMONTAGNE.................Alpiniste

Mia MORE..........................Chanteuse de charme

Ray PARÉ...Réparateur

O. PARLEUR....Vendeur de chaînes stéréophoniques

É. PINARD...Agriculteur

Alain PROVISTE..Livreur

Qui dit vrai ?

Vous devez trouver quelle image correspond à l'affirmation donnée.

Réponses à la page 82

1. Je suis le drapeau de la France.

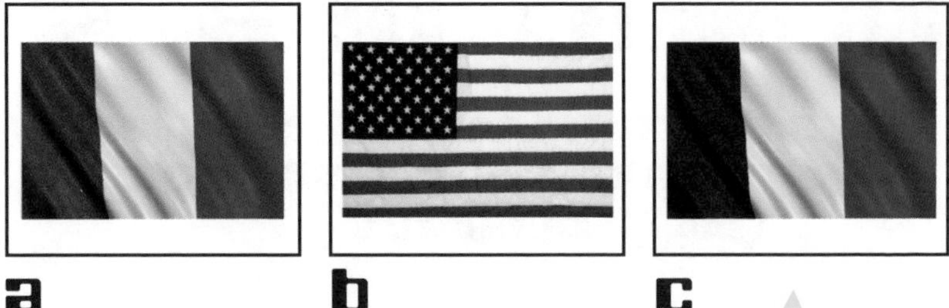

a b c

Qui dit vrai? ____________

2. On m'appelle communément «bête puante».

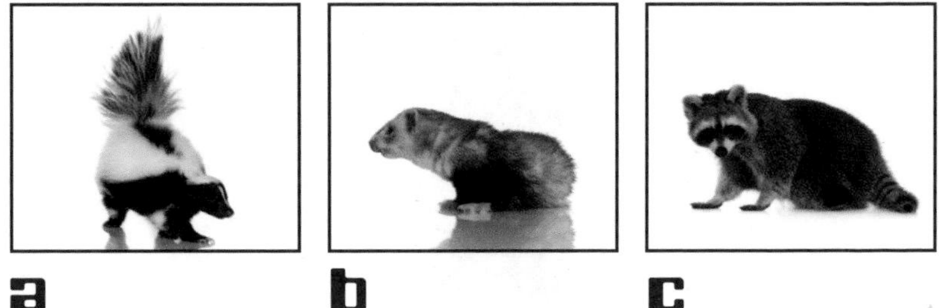

3. Je me transforme en papillon.

a b c

Qui dit vrai? ____________

4. Je suis une carambole, un fruit exotique.

a b c

Qui dit vrai? ____________

5. Je suis la statue de la Liberté.

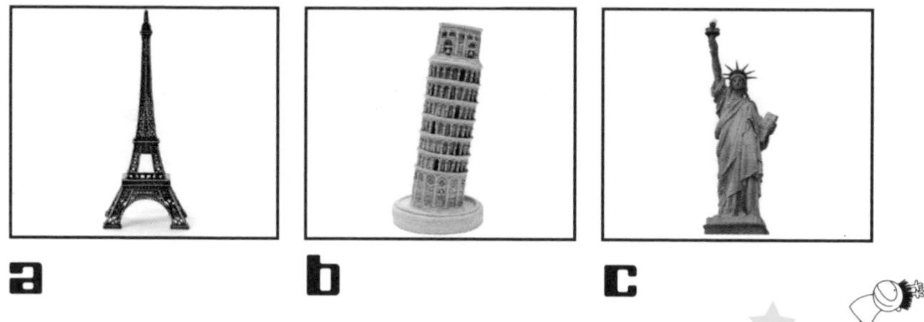

a b c

Qui dit vrai? ____________

6. Je suis la balle dont on se sert pour jouer au cricket.

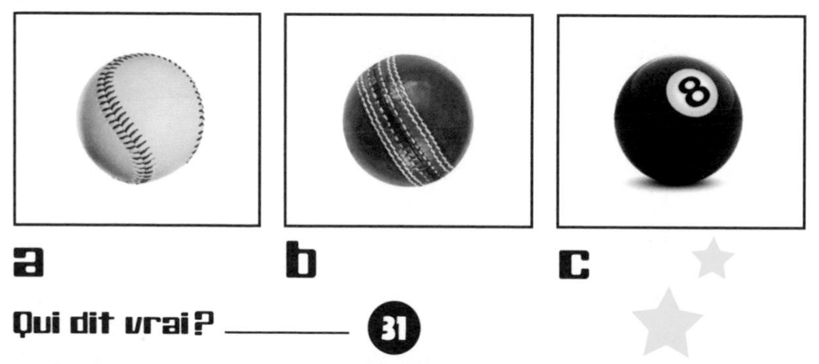

a b c

Qui dit vrai? ________

V' (juin, juillet, ___)
2 A C 1 beaucoup +
d' ...
!!

Solutions à la page 82

Pourquoi les marins n'aiment-ils pas l'école ?

Parce qu'ils ont peur d'échouer.

Qu'est-ce qui ramasse tout, mais ne fait que du désordre ?

Une tornade.

Pourquoi les cannibales ne mangent-ils pas de culturistes ?

Parce que ça goûte trop fort.

Quelle est la seule personne dont les vampires ont peur ?

Le dentiste.

Quelle est la friandise préférée des dragons ?

La guimauve.

Qu'est-ce qui a deux pattes et qui ne grandit jamais ?

Des pantalons.

Pourquoi les cannibales ne mangent-ils pas de pirates ?

Parce que ça goûte méchant.

Où est-il inutile de chanter des chansons à répondre ?

Dans un cimetière.

TEST PERSO

Êtes-vous curieux ?

C'est ce qu'on va voir !

1. C'est bientôt votre anniversaire. Après avoir fait des courses, votre mère revient chez vous avec de gros sacs qu'elle s'empresse d'aller cacher dans sa chambre. Vous êtes plutôt du genre à...

▢ ... profiter de la première occasion pour aller fouiller sa chambre de fond en comble. ▯ ... essayer de lui soutirer des informations en discutant avec elle de ses achats comme si de rien n'était. ◇ ... espérer secrètement qu'elle a choisi ce que vous vouliez. ○ ... attendre le matin de votre anniversaire pour découvrir ce qu'elle vous a acheté.

2. Votre professeur vous annonce qu'un paléontologue viendra vous rencontrer demain dans votre classe. Vous êtes plutôt du genre à...

○ ... ne vous poser aucune question sur le but de sa visite. Vous l'apprendrez demain ! ◇ ... interroger votre professeur avant de prendre l'autobus et à ne plus y penser par la suite. ▢ ... faire des recherches toute la soirée pour en connaître le plus possible sur cette profession. ▯ ... regarder dans le dictionnaire pour avoir la définition de paléontologue.

3. Votre père a préparé un nouveau plat pour le souper. Vous êtes plutôt du genre à...

▯ ... regarder en douce dans le livre de recettes pour lui faire croire que vous connaissez déjà ce mets. ▢ ... essayer de deviner les épices qu'il a mises en dégustant votre repas. ◇ ... soupirer, mais à entamer votre assiette, même si vous auriez préféré des macaronis au fromage. ○ ... bouder, car vous n'aimez pas qu'on change vos habitudes alimentaires.

4. Vos parents vous annoncent qu'ils partent en vacances dans un pays d'Afrique. Vous êtes plutôt du genre à...

... leur souhaiter bon voyage sans chercher à en savoir plu
... regarder où se trouve ce pays sur une carte du monde.
... être super déçu de ne pas les accompagner : les voyage c'est trop cool ! Vous adoreriez découvrir de nouveaux pays.
... leur demander de prendre des photos pour voir à quoi ressemble cet endroit.

5. On organise une classe de neige à votre école. Vous avez le choix entre plusieurs activités. Vous êtes plutôt du genre à...

... essayer la seule que vous n'avez encore jamais faite : la pêche sur glace. ... choisir la planche à neige sans hésite car c'est votre sport d'hiver favori ! ... demander à votre meilleur ami ce qu'il aimerait faire : peut-être qu'il vous proposera quelque chose de différent. ... lire attentiveme la description de chaque activité et à opter finalement pour votre première idée.

6. Vous venez tout juste de vous coucher. Vous enten des pas provenant de l'extérieur. Vous êtes plutôt du genre à...

... vous lever et à vous diriger sur la pointe des pieds vers la fenêtre pour voir si vous n'apercevriez pas quelque chose.
... appeler votre grand frère pour qu'il regarde à votre pla
... aller vous réfugier aussitôt dans la chambre de vos parent
... vous munir de votre lampe frontale et à sortir pour essaye de trouver une bête sauvage...

7. Vous êtes au club vidéo avec votre grand frère pour choisir un film. Vous êtes plutôt du genre à...

◇ ... prendre le premier gros succès américain que vous voyez: c'est une valeur sûre! ▯ ... regarder les différentes pochettes et à sélectionner celle que vous trouvez la plus originale: vous avez normalement tout un flair! □ ... choisir un film en 3D: vous n'en avez jamais vu encore à la maison, et ça vous intrigue beaucoup! ○ ... laisser votre grand frère décider.

8. Un ami arrive à l'école avec des bâtonnets de tofu pour collation. Vous êtes plutôt du genre à...

□ ... vouloir absolument goûter à cette drôle de chose. ○ ... le regarder d'un air dégoûté. ▯ ... lui demander ce que c'est au juste, du tofu. ◇ ... être mal à l'aise lorsqu'il vous en offre un morceau, car vous n'avez pas vraiment envie d'en manger.

9. Comme devoir, vous devez lire 10 pages d'un livre choisi par votre professeur. L'histoire est de plus en plus palpitante. Vous êtes plutôt du genre à...

○ ... ne pas en lire davantage puisque ce n'était pas demandé par le professeur. ◇ ... lire quelques pages supplémentaires, mais à ne pas aller plus loin. ▯ ... appeler votre meilleur ami pour en parler avec lui et essayer de deviner ce qui arrivera. □ ... terminer le livre le soir même: vous ne pouvez vous en empêcher. C'est trop

10. Un nouvel élève arrive à votre école. Il parle une langue que vous ne connaissez pas. Vous êtes plutôt du genre à...

□ ... lui demander aussitôt d'où il vient. ◇ ... demander au professeur, à la fin de la journée, dans quel pays cet élève est né. ◎ ... ne pas poser de questions. ▯ ... essayer de trouver par vous-même quelle pourrait être sa nationalité.

Résultats :

Vous avez obtenu une majorité de □ :

Bravo ! Votre curiosité n'a aucune limite. Vous fourrez votre nez partout : vous voulez en connaître le plus possible sur toutes sortes de choses. C'est une très belle qualité !

Vous avez obtenu une majorité de ▯ :

Vous avez toujours envie d'en savoir davantage, mais pas au point de prendre de trop grands risques. Vous êtes prudent et savez quelles sont les limites à ne pas franchir pour éviter d'avoir de mauvaises surprises. Ce n'est pas si fou, après tout !

Vous avez obtenu une majorité de ◇ :

Vous avez une certaine curiosité, même si elle n'est pas très souvent éveillée. Avant d'essayer de nouvelles choses, vous devez être certain de votre coup. De temps à autre, pourquoi ne pas oser un peu plus : on ne sait jamais ce que vous pourriez découvrir !

Vous avez obtenu une majorité de ◎ :

Vous êtes du genre à faire votre petit bout de chemin sans trop vous soucier de ce qui se passe autour. Vous aimez vos habitudes et ne souhaitez pas vraiment les changer, et c'est bien correct. Par contre, il se peut que vous passiez à côté de belles découvertes... ce qui serait

La réflexion de Léon

Canada
Le bras canadien est-il droitier ou gaucher ?

!!
Mais que faites-vous, au juste?
On s'exerce à faire des clins d'œil!

VOYAGE HASARDEUX...

MALENTENDU INCLUS !

DES VACANCES PRESQUE PARFAITES...
Avec Internet, plus besoin de se déplacer pour voyager!
Fini les valises, le passeport ou même l'apprentissage d'une autre langue!
En plus, ça fait des vacances pas chères!
Ah, les îles Fidji... c'est magnifique!
!!
Ouin...
Reste juste à trouver une façon de contrôler la météo, et l'expérience sera totale!

TRAVAIL ET VOYAGE
Plus tard, j'aimerais avoir un travail qui m'amène à voyager.
?!
Eh bien, tu n'as qu'à être chauffeur de taxi !
Quoi ! Ils font plusieurs voyages dans une journée...
!!
CHI

ATTENTION, NE PAS OUVRIR...

VOYAGE DANS LE TEMPS
Hé, Léon!
Qu'est-ce que tu fais avec ta valise?
Je m'en vais prendre l'avion.
Ah! tu pars en voyage?
Oui, ma chère, et pas n'importe où!
Et c'est où, ça?
Dans le futur!
Dans le futur, en avion?
!?
Oui, c'est facile : je vais à l'autre bout du monde, au Japon... Là-bas, il est 14 heures plus tard!

TRÈS LONG VOYAGE...
Ça y est, je pense que j'ai tout.
Ce n'est pas évident de planifier un voyage autour du monde...
... il faut régler un paquet de trucs avant de partir !
Puis, une fois que tout ça est fait, il reste une dernière chose, la plus importante...
... partir !
Bof, à bien y penser, y a rien qui presse !

MOI, MOI ET MOI

PORTE-À-PORTE...
Léon, qu'est-ce que tu fais?
Ah... je ramasse de l'argent pour faire un voyage...
Cool! Et où penses-tu pouvoir aller avec cet argent?
Euh...
Si ça continue comme ça, pas plus loin qu'au dépanneur...

Pourquoi les boussoles indiquent-elles toujours le nord ? C'est dans le Sud que je veux aller, moi !

QUE FAIRE DE VOS 10 DOIGTS À PART JOUER AUX QUILLES...

BRICOLEZ-VOUS UN BEAU BRACELET «ÉCOLO-COOL» AVEC DES SACS DE CHIPS !

POUR RÉALISER CE MAGNIFIQUE BRACELET, VOUS AUREZ BESOIN DE CECI :

- 1 grand sac ou 2 petits sacs de chips, bien colorés !
- Une règle
- Un crayon
- Des ciseaux
- Un bout de carton

1. Commencez par vider le ou les sacs de chips... (hummm... ça, c'est la partie la plus agréable du bricolage !). Puis, rincez-les et séchez-les.

2. Découpez-y une bonne vingtaine de bandelettes de 4 cm de large sur 10 cm de haut (voir figure A, ci-dessous). *Un petit truc : avant de commencer, taillez-vous un modèle en carton aux bonnes dimensions que vous n'aurez ensuite qu'à suivre pour découper toutes les bandelettes...

3. Maintenant, préparez-vous pour le pliage en créant de faux plis, d'abord sur le sens vertical, en pliant en deux une bandelette sur le sens de la longueur (voir figure B).

4. Vous êtes prêt à plier votre première bandelette, qui deviendra un des maillons nécessaires pour créer votre bracelet. Rabattez les longs côtés de chaque bandelette en deux parties égales afin qu'elles viennent se rejoindre en plein milieu, sur le faux pli déjà créé (voir figure C).

5. Puis, pliez le tout en deux (voir figure D).

6. Maintenant, répétez la même opération, mais sur le sens horizontal. Rabattez les extrémités en deux parties égales afin qu'elles se rejoignent en plein milieu (voir figure E).

7. À la fin, vous devriez obtenir un petit morceau en forme de « V » comme celui de la figure F. Il est normal que cette dernière forme ne tienne pas bien fermée, ce n'est pas grave...

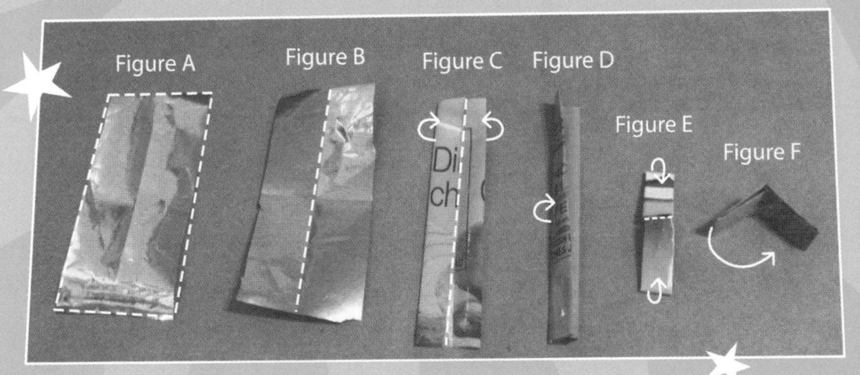

8 Vous devez maintenant plier une vingtaine de bandelettes de la même façon avant de commencer l'assemblage. À noter : vous devez aussi vous garder un maillon, à part, pour l'attache finale...

9 Pour créer le bracelet, prenez un premier maillon et insérez-le dans l'ouverture d'un autre maillon, comme ci-dessous. Répétez cette opération avec chacun des maillons, jusqu'à ce que la longueur du bracelet vous convienne.

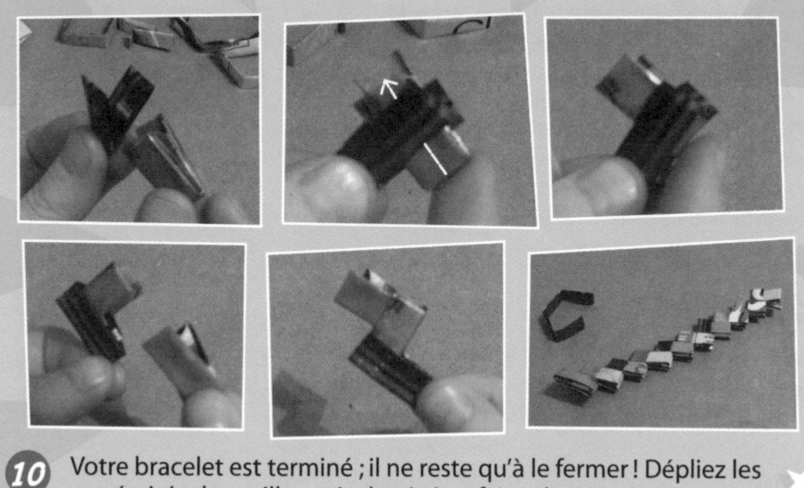

10 Votre bracelet est terminé ; il ne reste qu'à le fermer ! Dépliez les extrémités du maillon mis de côté, et faites-les passer au travers du premier et du dernier maillon de votre bracelet, pour les joindre ensemble. Maintenant, pour sécuriser la fermeture, repliez les bouts du maillon attache sur eux-mêmes comme ci-dessous ou brochez-les tout simplement ensemble !

VOILÀ, VOTRE BRACELET « ÉCOLO-COOL » EST PRÊT À PORTER !

Saviez-vous ça ?

Le cerveau des coquerelles, ces insectes que nous ne souhaitons vraiment pas trouver dans notre salon, contiendrait des molécules très efficaces pour lutter contre certains microbes.

Comme les coquerelles vivent souvent dans des lieux sales, les chercheurs se sont demandé comment elles faisaient pour éviter les infections. Leur hypothèse : elles doivent posséder des défenses naturelles! Pour le vérifier, ils ont ouvert différentes parties du corps de plusieurs de ces insectes afin de savoir laquelle pourrait contenir des propriétés protectrices. C'est dans le cerveau des coquerelles qu'ils ont finalement trouvé des antibiotiques naturels permettant à ces bestioles d'éliminer 90 % des bactéries nuisibles qu'elles rencontrent. Qui sait ? Cette découverte nous servira peut-être un jour à nous protéger contre des infections, nous aussi !

Erreur~~e~~s dans la ville

Le français est une des plus belles langues du monde. Malheureusement, il est trop souvent maltraité: on ne l'écrit pas toujours bien... La preuve, voici des erreurs que j'ai notées en marchant dans la rue. Allez-y, ne vous gênez pas, sortez votre crayon rouge et essayez de les trouver. Cette fois-ci, c'est vous qui jouez le rôle du correcteur!

1

Solutions à la page 82

TERRAIN DE JEUX

SOLUTIONS À LA PAGE 82

Des *flèches* et des MOTS

*Attention : bien suivre le sens des flèches.

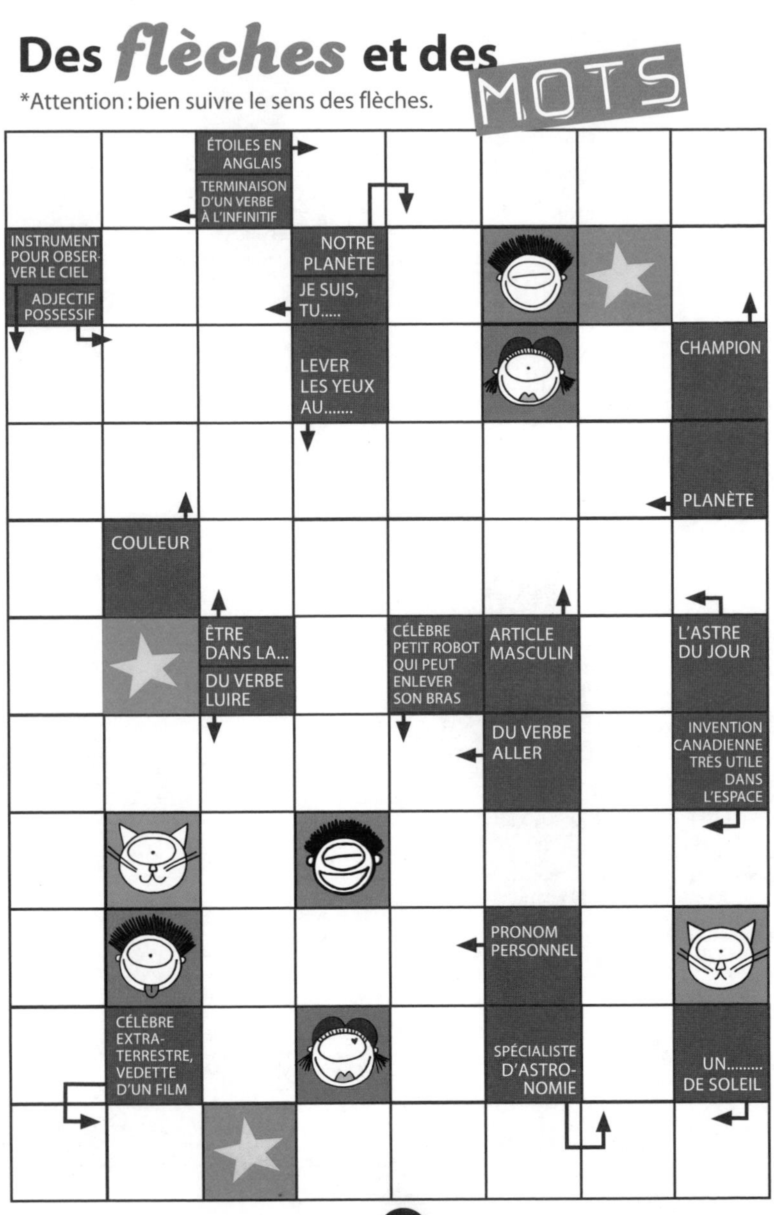

LE JEU DU MIROIR!

Prolongez ce dessin de Léon en traçant l'autre moitié!

Qu'ont en commun ces 3 mots ?

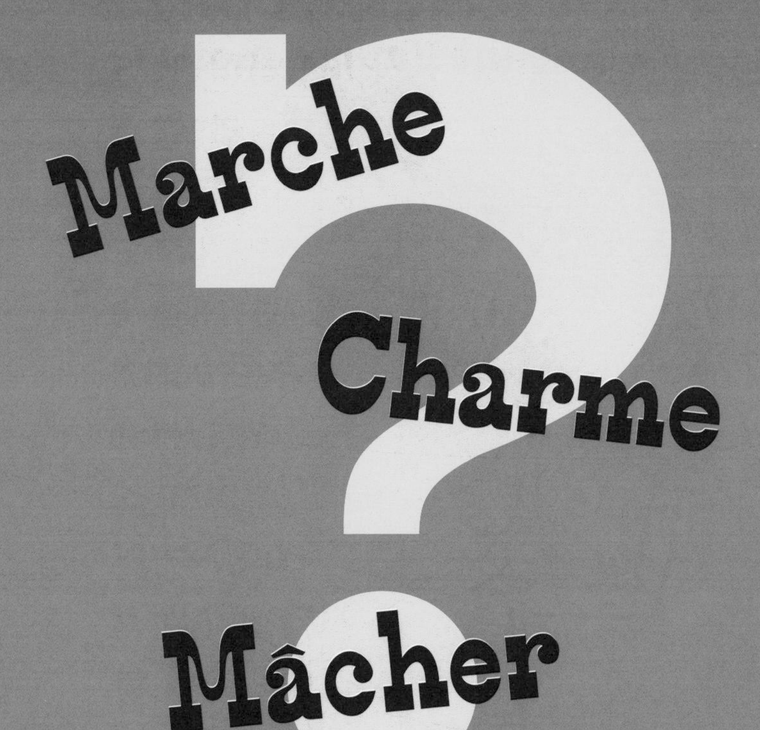

CARRÉS MAGIQUES

Dans chaque ligne verticale, horizontale et diagonale, l'addition des nombres doit donner le même résultat. À vous de trouver les chiffres qui manquent afin de compléter les séries d'équations !

Indice : tous les chiffres sont en bas de 10.

1.

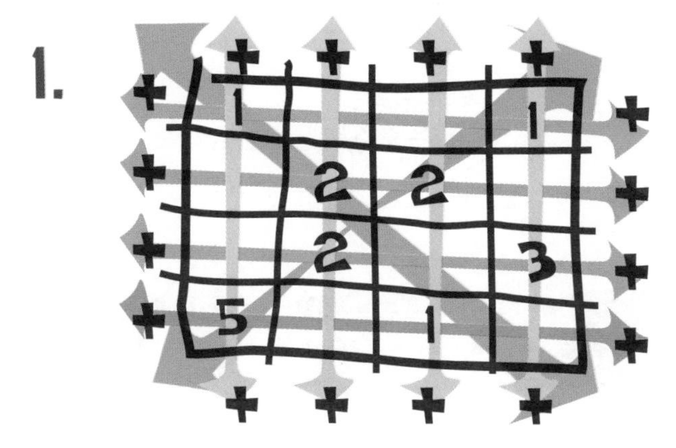

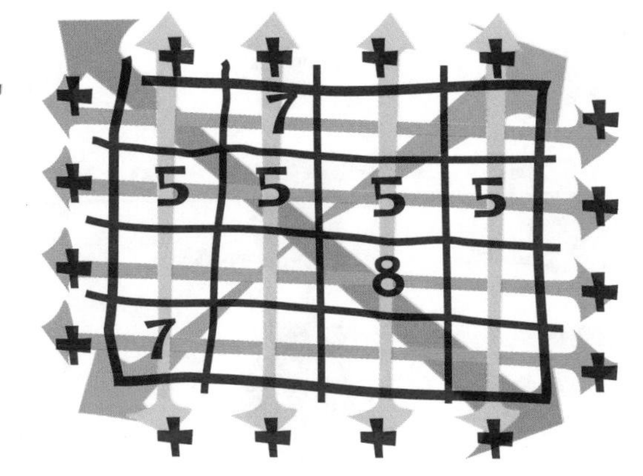

Trouvez l'ombre qui correspond à ce dessin...

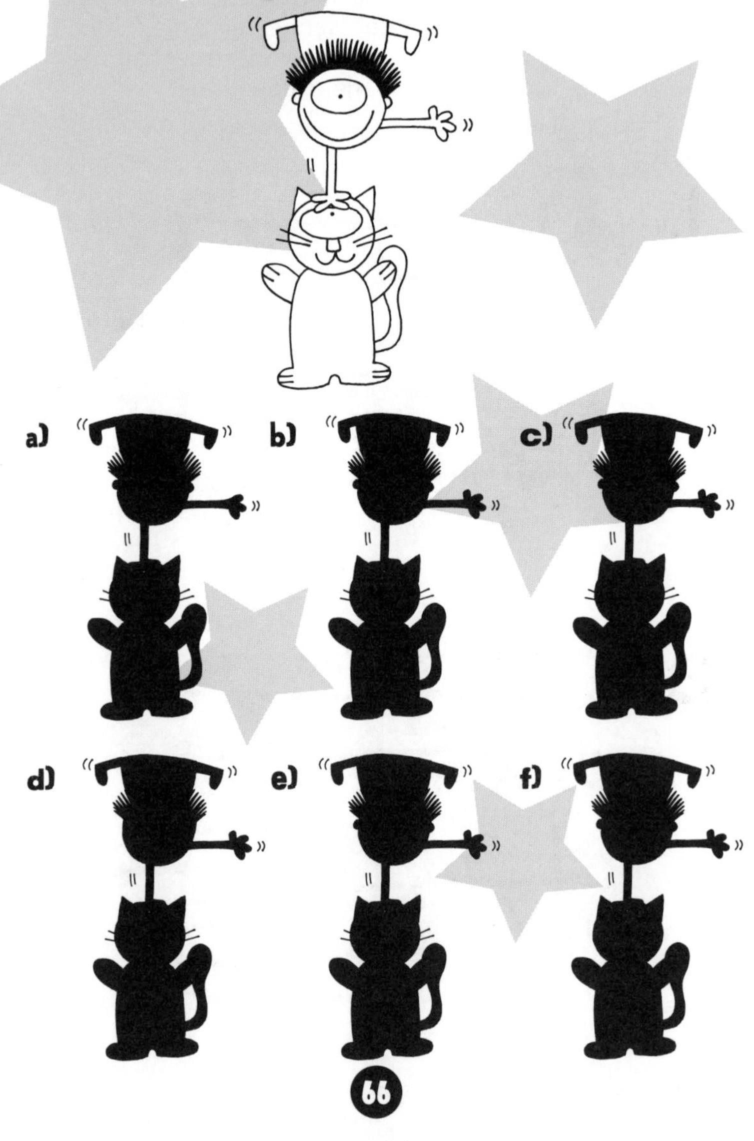

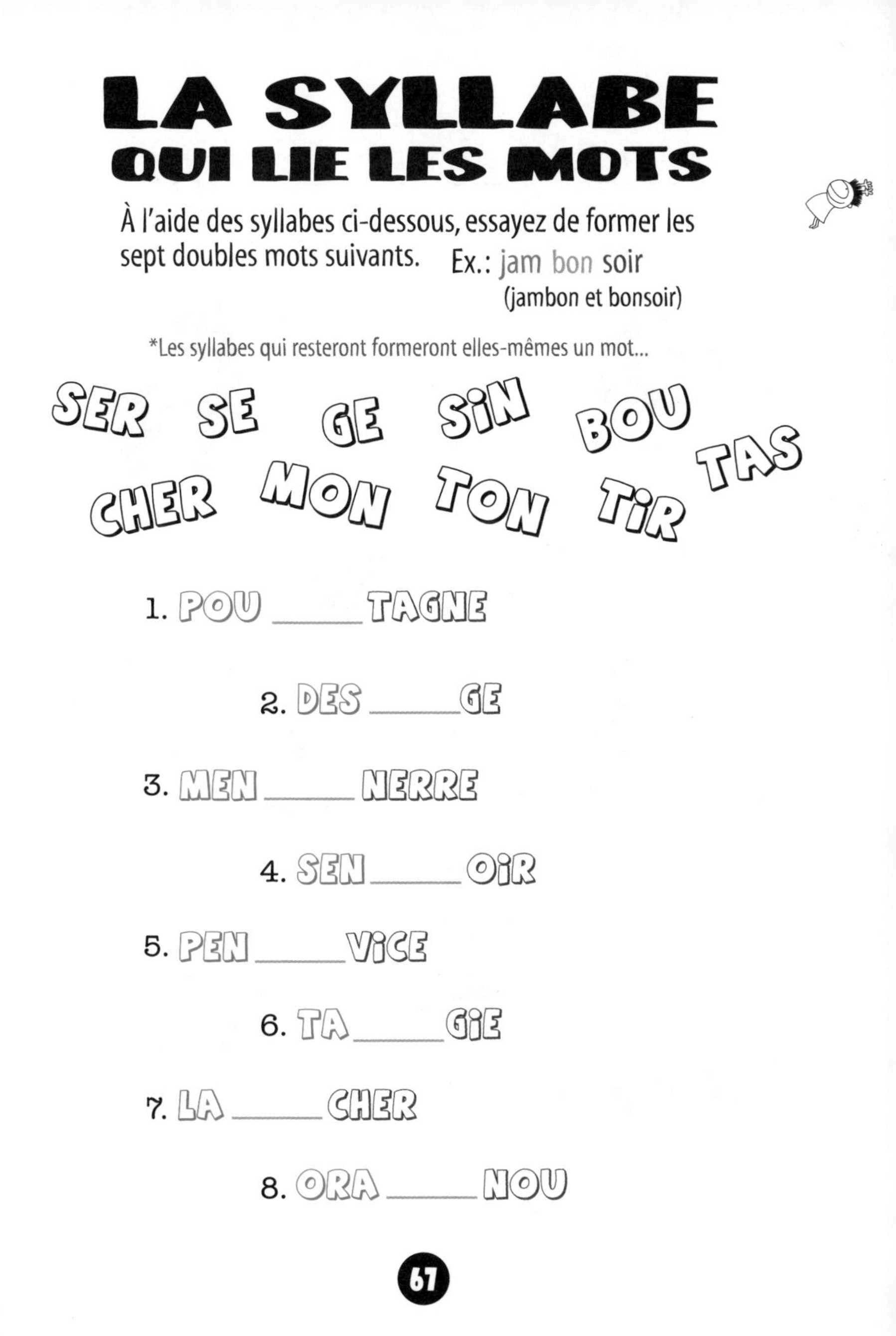

LA SYLLABE
QUI LIE LES MOTS

À l'aide des syllabes ci-dessous, essayez de former les sept doubles mots suivants. Ex.: jam bon soir
(jambon et bonsoir)

*Les syllabes qui resteront formeront elles-mêmes un mot...

SER SE GE SIN BOU
CHER MON TON TIR TAS

1. POU ______ TAGNE

2. DES ______ GE

3. MEN ______ NERRE

4. SEN ______ OIR

5. PEN ______ VICE

6. TA ______ GIE

7. LA ______ CHER

8. ORA ______ NOU

TROUVEZ L'INTRUS

Tous ces objets ont un point en commun, sauf un. Lequel et pourquoi ?

Pour obtenir la solution, vous n'avez qu'à trouver le code secret à la fin du livre !

Le mot gagnant !

Comment le trouver ? Voici quelques indices pour vous aider : il s'écrit de la même façon en anglais qu'en français, il contient plus de 2 voyelles et le total de ses points* est au moins 10. Quel est donc le mot gagnant ?

*La valeur des lettres est inscrite en rouge sous chacune d'elles.

P 3 I 1 Z 10 Z 10 A 1

H 4 O 1 C 3 K 10 E 1 Y 10

C 3 A 1 R 1 O 1 T 1 T 1 E 1

T 1 A 1 B 3 L 1 E 1

C 3 A 1 C 3 T 1 U 1 S 1

R 1 A 1 D 2 I 1 O 1

Le coin des FANS
Admirez ici les œuvres les plus créatives des fans de Léon !
?
Léon ? Qu'est-ce que tu fais ?
Ben ça se voit pas? J'ai pêché !
Frédéric Gendron • Québec (Qc)

Anagabriel Trevino et sa grand-maman ! • Salaberry-de-Valleyfield (Qc)

Grosse journée
à la plage, Léon ?

AYEZ L'AIR INTELLIGENTS en sachant dire bonjour en 10 langues !

Parce qu'avoir l'air intelligent, c'est simple comme dire «*konnichiwa*».

C'est pratique de pouvoir saluer quelqu'un dans une autre langue que le français. Si vous le faites pendant un voyage, vous aurez instantanément l'air d'un homme ou d'une femme du monde. Et si vous trouvez un jeune immigrant particulièrement *cute* à votre école, vous saurez comment l'aborder. *Capiche** ?

* *Capiche*, de l'italien *capisce*, qui veut dire : «Tu comprends ?»

1. Anglais

Hello (è-lo)

2. Espagnol

Buenos días (bouènos dias)
Salut*: hola*

3. Allemand

Guten Tag (goutt-eun tag)

4. Russe

Zdravstvuite (zz-drast-vet-yah)
Salut : *privet* (privette)

5. Arabe

Marhaba
(mar-hhhaba, en expirant)

6. Chinois

Nǐ hǎo (ni-rao)

7. Japonais

Konnichiwa (konichi-oua)

8. Portugais

Bom dia (bon-di-a)
Salut : *Oi* (oye) *ou olá*

9. Hindi et ourdou (Inde et Pakistan)

Namaste (namasté) et
salaam (salam)

10. Javanais, charabia ou jargon*

Salut : *sadagua ludugu*
(sa-da-ga lu-du-gu)

* C'est pas sérieux. Cette langue n'existe que pour s'amuser. Chaque mot est une syllabe (pas besoin d'écrire toutes les lettres), à laquelle on ajoute de et gue, qui prennent le son de la voyelle de la première syllabe. Ex. : « Voudouguou adagua védégué lairdairguair indinguin tédégué lidigui gendenguen ! » Rien ne vous empêche d'inventer vos propres variantes, car c'est vous, le chef. Salut !

CODE SECRET

EXERCEZ-VOUS À DEVENIR UN AGENT SECRET !

C'est le moment idéal pour tenter de décoder de grands mystères. Vous y avez sans doute déjà secrètement songé, alors tournez la page et saisissez l'occasion rêvée de foncer !

Ce code secret vous révélera
la réponse du jeu de la page 68...

Pour la découvrir, il suffit de repérer
les bonnes lettres dans la grille,
à l'aide des indices à la page suivante.

Note: la première lettre de chacun
des indices est toujours dans la
colonne verticale, soit celle
qui compose le mot LÉON,
et la deuxième, dans la
colonne horizontale, qui
forme les mots
LE CHAT.

Bonne chance!

En suivant dans l'ordre les indices ci-dessous, dans les cercles rouges, vous découvrirez les lettres nécessaires pour inscrire le code secret, à la page suivante. Vous apprendrez alors quel est l'intrus de la page 68!

Exemple: l'indice pour la lettre K serait ÉA.

	L	E	C	H	A	T
L	A	B	C	D	E	F
É	G	H	I	J	K	L
O	M	N	O	P	R	S
N	T	U	V	X	Y	Z

1 ÉT

2 LL

3 OL

4 OC

5 NL

6 OC

7 OE

8 LA

9 ÉC

10 ÉL

11 LA

12 ÉT

13 LL

14 OT

15 LA

16 NE

17 ÉT

18 LA

19 LH

20 LA

21 OA

22 OC

23 NE

24 LA

Code secret

[Réponse du jeu de la page 68]

L'INTRUS EST ☐☐ (1, 2)

☐☐☐☐☐☐☐☐☐ (3 à 11)

CAR C'EST ☐☐ (12, 13)

☐☐☐☐☐ (14 à 18) QUI N'A PAS

☐☐ ☐☐☐☐ (19 à 24) !

Annie Groovie à votre école

Cool!

Eh oui, Annie Groovie fait des tournées dans les écoles ! Vous trouverez toute l'information sur le site internet www.anniegroovie.com.

À bientôt peut-être !

Photo : Dominique Malaterre

Annie Groovie voit le jour le 11 avril 1970, à 19 h 15, en plein souper de cabane à sucre. Elle grandit heureuse et comblée à Québec. Très tôt, elle développe un goût profond pour la création (et pour les sucreries...). Dès l'âge de huit ans, elle remporte son premier concours de dessin, grâce à son originalité.

Annie est diplômée en arts plastiques et bachelière en communications graphiques. Elle exerce le métier de conceptrice publicitaire pendant plusieurs années à Montréal, où elle habite depuis 1994 (eh oui, elle vieillit...).

Annie est une grande adepte de la gymnastique ainsi qu'une mordue de cirque et d'acrobaties de toutes sortes. En 1997, elle est sélectionnée par le Cirque du monde et part trois mois au Chili pour enseigner les arts du cirque aux enfants de la rue.

En 2003, Annie Groovie se découvre une toute nouvelle passion : la création de livres pour enfants. Aujourd'hui, les albums consacrés à son personnage de Léon «roulent» à merveille. Elle a un projet de dessins animés en production, et vous tenez présentement le vingt-huitième numéro d'une série de livres tout à fait délirants !

SOLUTIONS

p. 32-33

Lola dit : « pou - riz - haie - v'(août) - tour - nez - la - cor - deux - A - dent - C - un - peu - plus - rat - pis - d'aimant ... »
(« Pourriez-vous tourner la corde à danser un peu plus rapidement... »)

Léon répond :
« Sssss - ail - haie - mât - dé - mou - A - z'aile - fée - la - dix - fils - cils ! »
(« Ça y est, mademoiselle fait la difficile ! »)

p. 66 E

p. 65

1.

2.

p. 69
Hockey

p. 67
1. POU-**MON**-TAGNE
2. DES-**SIN**-GE
3. MEN-**TON**-NERRE
4. SEN-**TIR**-OIR
5. PEN-**SER**-VICE
6. TA-**BOU**-GIE
7. LÂ-**CHER**-CHER
8. ORA-**GE**-NOU

Le mot restant : TAS-SE

p. 62

p. 64 Ils contiennent les six mêmes lettres.

p. 58-59
COLLIER, DÉMÉNAGÉS, OUVERTS, TOUS

p. 30-31
1 = C, 2 = a, 3 = b, 4 = a, 5 = c, 6 = b

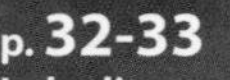

DANS LA MÊME COLLECTION
DÉLIRONS AVEC LÉON
ANNIE GROOVIE PRÉSENTE
DÉLIRONS AVEC Léon !
NUMÉRO 1
NUMÉRO 2
DES TRUCS VRAIMENT EMBALLANTS
NUMÉRO 3
NUMÉRO 4
NUMÉRO 5
UNE DÉCHARGE DE TRUCS HALLUCINANTS
NUMÉRO 6
Fausses pubs
Énigmes
Jeux
Bandes dessinées
Code secret
Excuses parfaites
Le savies-vous?
NUMÉRO 7
NUMÉRO 8
NUMÉRO 9
DES TRUCS TOUJOURS PLUS SURPRENANTS
NUMÉRO 10
Farces
NUMÉRO 11
DES TRUCS VRAIMENT INCROYABLES
NUMÉRO 12
DÉLIRONS AVEC Léon 13
BD, GAGS, JEUX ET PLUS ENCORE !
SPÉCIAL « TREIZE » ÉTRANGE
DÉLIRONS AVEC Léon 14
BD, GAGS, JEUX ET PLUS ENCORE !
Je suis très bon pour créer...
... surtout des ennuis !
DÉLIRONS AVEC Léon 15
BD, GAGS, JEUX ET PLUS ENCORE !
Tiens, c'est pour souligner ton anniversaire !
DÉLIRONS AVEC Léon 16
BD, GAGS, JEUX ET PLUS ENCORE !
Ah, les vacances ! Ça fait du bien de décompresser un peu.
!

ANNIE GROOVIE PRÉSENTE
DÉLIRONS AVEC Léon
17
BD, GAGS, JEUX ET PLUS ENCORE!
L'amitié, ça se cultive!
?!
ANNIE GROOVIE PRÉSENTE
DÉLIRONS AVEC Léon
18
BD, GAGS, JEUX ET PLUS ENCORE!
Je suis vraiment emballé!
ANNIE GROOVIE PRÉSENTE
DÉLIRONS AVEC Léon
19
BD, GAGS, JEUX ET PLUS ENCORE!
Salut Léon! Comment ça va?
Comme sur des roulettes!
ANNIE GROOVIE PRÉSENTE
DÉLIRONS AVEC Léon
20
BD, GAGS, JEUX ET PLUS ENCORE!
Lola et moi, on ne s'entend pas très bien ces temps-ci...
Eh bien, parlez-vous plus fort!
ANNIE GROOVIE PRÉSENTE
DÉLIRONS AVEC Léon
21
BD, GAGS, JEUX ET PLUS ENCORE!
Salut, Léon! Qu'est-ce que tu fais là?
J'essaie de me remonter un peu le moral...
ANNIE GROOVIE PRÉSENTE
DÉLIRONS AVEC Léon
22
BD, GAGS, JEUX ET PLUS ENCORE!
Léon, qu'est-ce qui t'est arrivé?
J'étais un peu pressé ce midi, alors j'ai mangé sur le pouce.
!
ANNIE GROOVIE PRÉSENTE
DÉLIRONS AVEC Léon
23
BD, GAGS, JEUX ET PLUS ENCORE!
Le numéro de dossier? Euh... attendez... je ne le trouve pas...
?!
ANNIE GROOVIE PRÉSENTE
DÉLIRONS AVEC Léon
24
BD, GAGS, JEUX ET PLUS ENCORE!
Mais que fais-tu avec un parapluie en bois?
Y paraît qu'il va pleuvoir des clous aujourd'hui...
ANNIE GROOVIE PRÉSENTE
DÉLIRONS AVEC Léon
25
BD, GAGS, JEUX ET PLUS ENCORE!
Un bon gardien de but doit toujours être prêt à plonger!
ANNIE GROOVIE PRÉSENTE
DÉLIRONS AVEC Léon
26
BD, GAGS, JEUX ET PLUS ENCORE!
Léon, qu'est-ce que tu fais là?
J'essaie de pondre des idées...
!?
ANNIE GROOVIE PRÉSENTE
DÉLIRONS AVEC Léon
27
BD, GAGS, JEUX ET PLUS ENCORE!
Voici ton cadeau de fête! Je me suis forcé pour l'emballage... j'ai mis un beau gros chou, bien frais!
!
ANNIE GROOVIE PRÉSENTE
DÉLIRONS AVEC Léon
28
BD, GAGS, JEUX ET PLUS ENCORE!
Grosse journée à la plage, Léon?
ANNIE GROOVIE PRÉSENTE
DÉLIRONS AVEC Léon
BD, GAGS, JEUX ET PLUS ENCORE!
SPÉCIAL OLYMPIQUES
ANNIE GROOVIE PRÉSENTE
DÉLIRONS AVEC Léon
BD, GAGS, JEUX ET PLUS ENCORE!
SPÉCIAL JEUX D'HIVER
ANNIE GROOVIE PRÉSENTE
DÉLIRONS AVEC Léon
BD, GAGS, JEUX ET PLUS ENCORE!
SPÉCIAL VACANCES
!!

Annie Groovie
Léon et les expressions

Annie Groovie
Léon et les superstitions

Annie Groovie
Léon et les bonnes manières

Annie Groovie
Léon et l'environnement

Annie Groovie
Léon et les grands mystères

Annie Groovie
Léon et les inventions

ENCORE PLUS DE PLAISIR !
COFFRETS DÉLIRONS AVEC LÉON
ANNIE GROOVIE PRÉSENTE
DÉLIRONS AVEC LÉON
BD, GAGS, JEUX ET PLUS ENCORE !
COLLECTION LE MEILLEUR DE LÉON
ANNIE GROOVIE PRÉSENTE
Léon
À SON MEILLEUR !
VOLUME 1
VOLUME 2
L'amitié, ça se cultive !
?!
VOLUME 3
VOLUME 4
Je suis au sommet de ma forme !

Les éditions de la courte échelle inc.
160, rue Saint-Viateur Est, bureau 404
Montréal (Québec) H2T 1A8
www.courteechelle.com

Conception, direction artistique et illustrations : Annie Groovie
Collaboration au contenu : Joëlle Hébert et Martin Bernier
Collaboration au design et aux illustrations : Émilie Beaudoin
Révision : André Lambert et Valérie Quintal
Infographie : Nathalie Thomas
Muse : Franck Blaess

Une idée originale d'Annie Groovie

Dépôt légal, 2e trimestre 2011
Bibliothèque nationale du Québec

La courte échelle reconnaît l'aide financière du gouvernement du Canada par l'entremise du Fonds du livre du Canada pour ses activités d'édition. La courte échelle est aussi inscrite au programme de subvention globale du Conseil des Arts du Canada et reçoit l'appui du gouvernement du Québec par l'intermédiaire de la SODEC.

La courte échelle bénéficie également du Programme de crédit d'impôt pour l'édition de livres — Gestion SODEC — du gouvernement du Québec.

Catalogage avant publication de Bibliothèque et Archives nationales du Québec et Bibliothèque et Archives Canada

Groovie, Annie

Délirons avec Léon

Pour enfants de 8 ans et plus.

ISBN 978-2-89651-616-2 (v. 28)

1. Jeux intellectuels - Ouvrages pour la jeunesse. 2. Jeux-devinettes - Ouvrages pour la jeunesse. 3. Devinettes et énigmes - Ouvrages pour la jeunesse. I. Titre. II. Titre : BD, gags, jeux et plus encore !

GV1493.G76 2007 j793.73 C2006-942113-7

Imprimé en Malaisie